나는, 매일 사랑스런 열 마리 고양이와 산다: 얼떨결에 집사로 살기

나는, 매일 사랑스런 열 마리 고양이와 산다.

지은이   송현희

발   행   2024년 05월 15일
펴낸이   한건희
펴낸곳   주식회사 부크크
출판사등록   2014.07.15.(제2014-16호)
주   소   서울특별시 금천구 가산디지털1로 119 SK트윈타워 A동 305호
전   화   1670-8316
이메일   info@bookk.co.kr

ISBN   979-11-410-8471-4

www.bookk.co.kr
ⓒ 송현희 2024

나는, 매일 사랑스런 열 마리 고양이와 산다

송현희

BOOKK

차례

나의 고양이들, 나의 가족

나는, 매일 사랑스런 열 마리 고양이와 산다

　위에서부터 아래까지 하늘이, 초초, 슈슈, 초름이, 모리, 하리, 뚜리, 초리, 포리, 마리. 총 10마리 나의 고양이, 나의 가족이다. 하늘이는 정말 사랑스런 터키쉬 앙고라에 섞여있는 종으로, 하얀색이다. 그런데 사진 찍을 때 사람으로 인식되는, 표정이 그야말로 사람 같은 남자 아이이다. 초름이는 장모종 스코티쉬 폴드로, 삼색이다. 털이 길어서 귀 접힌 것이 보이지 않는데 귀가 너무나 작아서 털 사이로 귀를 살살 밀어서 보면 너무나 귀엽다. 슈슈는 단모종 스코티쉬 폴드이다. 크림색으로 장화신은 고양이 주인공과 같은 종류인데, 우리 슈슈는 얼굴이 좀 더 눌린 편이다. 초름이는 초초의 딸로 삼색이인데, 거의 회색이 강하다. 똑같은 스코티쉬 폴드로, 겁이 상당히 많은 편이다.

모리부터는 렉돌이다. 그런데 나중에 알고 보니 모리도 하늘이처럼 다른 종이 섞여 있다. 그러면 어떠하리, 너무나 사랑스러운데. 호기심이 강하고 문을 열 정도로 똑똑하다. 하리는 아빠만 찾지만, 아빠 없으면 세 다리로 너무나 씩씩하게 잘 지낸다. 그래서 사랑스럽다. 뚜리는 진짜 잘 놀라고 잘 숨지만 오히려 조용하게 손길을 기다리는 아이이다. 초리는 진짜 예쁜 아이이고 애교가 하늘을 찌른다. 포리는 약간 무뚝뚝한 상남자 스타일인데 내 아들 꽁무니만 쫓아다닌다. 마리는 그냥 사랑 그 자체. 한눈이 보이지 않으면 어떠하니, 우리 막둥이 너무나 사랑스럽다. 한 마리 한 마리 사랑하지 않는 아이가 없다.

하지만 아들 가끔 물을 때는, 이렇게 답한다.

"엄마는 어떤 고양이가 제일 예뻐?"
"예쁜 건 초초인데, 소중한 건 하늘이야."
"으이, 거짓말."

사실 아픈 손가락이어서 그런지도 모른다. 항상 양보하고 스트레스를 속으로 삭이는 스타일 이다보니, 하늘이는 참 표정도 슬퍼 보인다. 그 속마음을 알지는 못하겠지만 안쓰럽기도 하고 내가 제일 예뻐해 줘야 할 것 같아서다. 다 소중하지만 말이다. 앞으로도 계속 함께 살아갈 내 가족, 우리 고양이들을 기억하고 더 사랑하기 위해서 책을 썼다.

장판 위 이불은 우리 냥냥이들의 쉼터
이 사진에는 초초, 초름이, 모리가 있구나.
그래서 항상 중간에 앉아서 커피마시고 디저트 먹어도
신경도 안 쓴다. 따뜻하니 좋아서 그렇겠지?

분명 내 의지는 아니었다. 난 어떤 동물도 제대로 키워본 적이 없으니까. 하지만 이제는 나의 두 아이들하고 똑같이 열 마리 내 고양이들을 너무나 사랑한다.

하늘아, 초초야, 슈슈야, 초름아, 모리야, 하리야, 뚜리야, 초리야, 포리야, 마리야 사랑한다. 엄마집사가 평생 너희들과 함께 할게. 모든 것을 기억하려고 엄마는 이렇게 기록으로 남긴다. 열 마리 다 쓰다듬고 나오려면 쉽지 않지만 그래도 나중에 후회가 남지 않도록 사랑할게.

내가 항상 기억하고 사랑할게.

2014.12.28.(하늘)
2017.03.14.(초초)
2017.05.15.(슈슈)
2019.09.24.(초름)
2020.03.19.(모리)
2020.04.28.(하리)
2021.03.18.(뚜리.초리)
2022.04.29.(포리)
2023.07.04.(마리)

2024. 05.
나의 사랑스런, 내 가족,
내 고양이들에게 엄마 집사가

지금은 분양 간 우리 아깽이들. 잘 지내고 있지?

오늘도 아침에 일어나면 변치 않는 루틴이 시작된다. 냥이들 화장실 치우기, 음수대 닦고 채우기, 사료 주기. 그리고 한 마리씩 쓰다듬고 일하러 가지. 그래도 방학이라 늦게까지 집에 있으니 열 마리 고양이들과 난 항상 함께이다. 거실에서 자다보니 따뜻한 정기 장판 위로 한 마리 두 마리 계속 모이고 함께 잠을 잔다. 자면서 달리는 아이들이 있어서 얼굴까지 또 다른 담요를 푹 덮고 잔다. 냥이들은 발톱을 잘라도 세게 달리다 보면 그 자국이 심하게 남는다. 나도 딸도 그것을 알기 때문에 무장을 한 채 아이들과 함께 잔다.

하늘이는 올해 11살이다. 건강이 좋지 않아 걱정이고 자다가 달리다 오줌 싸다 난리다. 그래, 이불은 얼마든지 엄마가 빨래할 수 있어. 하지만 얼굴 쪽으로 오는 것은 곤란해. 딸이 정말 심각하게 얼굴이 다쳤고 다행히 흉터는 거의 사라졌지만 인중에 누가 봐도 선명한 흉터가 하나 남았다.

우리집 3대 반려묘 가족인 할아버지 하리와 아들인 포리 그리고 포리의 부인인 초리와 그들의 딸인 마리까지. 이 아이들은 모두 렉돌이란 종류이다. 크기가 너무나 달라서 생각지 못하게 아주 클 수도 있고 정말 이 상태가 다 성장한 건가 싶을 정도로 작다. 그리고 초리와 자매 지간인 뚜리가 있고 혼자 분양받아 온 모리도 있고.

그리고 스코티쉬폴드인 초초와 그녀의 딸 초름이. 똑같은 스코티쉬폴드이지만 단모인 슈슈. 그러니 총 열 마리 맞다. 집에서 나갈 때 들어올 때 가끔 마리 수를 세어본다. 혹시나 해서 말이다. 지금 사는 집은 방화문도 항상 닫혀 있고 한 층에 세 가구만 살고 전체적으로 막혀 있어 밖으로 나간다 해도 잃어버리진 않을 것이다.

하지만 저번에 집에 갔는데 현관문 앞에서 서글프게 울고 있는 초리를 보고, 아 냥이들은 순식간이구나 싶어서 항상 조심한다. 고양이집사의 삶은 이제 10년이 넘으니 항상 하던 일이라 특별히 더 어렵거나 힘들지는 않다. 다만 반려동물을 키우지 않는 사람들에게 털로 인해 불편함을 안기지 않을까 싶은 마음은 든다. 그래서 집에 건조기도 있고 돌돌이는 항상 세트채로 있다. 그럼에도 나갈 때 검은 옷을 입을 때는 더욱 신경 써서 털을 제거하곤 한다. 그럼에도 반려동물이 없는 사람들은 기가 막히게 털털털 한다. 음, 나도 알지만...

하늘이가 나이가 들다보니 여러 가지 신경이 쓰인다. 사실 냥이가 아플 때 병원가면 정말 많은 돈이 든다. 이사 오고 초름이가 적응을 못하고 힘들어하더니 갑자기 뒷다리로 걷지 못하고 질질 끌고 다닌 적이 있었다. 소변도 그 자리에서 보는 단 이틀만의 사태에 겁이 나 울며 낯선 이사 온 곳에서 병원을 찾아 헤맸었다. 결국 3일 만에 검사비 치료비 250만 원이 나오고 집으로 데려왔다. 병명은 스트레스였다. 간수치가 높아지고 뭐 등등. 아마 반려동물과 함께 사는 반려인들은 병원비를 항상 염두에 두고 살아야 할 것이다. 그래도 열 마리라 보니 걱정이 많이 되는 것은 어쩔 수 없다.
어떤 사람은 유튜브를 해보는 것이 어떠냐고 한다. 생각을 안 해본 것은 아니지만 잘되든 안 되든 내 마음이 힘들 것 같다. 댓글의 반응이 조금이라도 좋지 않으면 난 회복이 안 될 것 같다. 심각히 유리 멘탈이라 그렇다. 하지만 책은 어디 댓글을 바로 보는 것도 아니고... 이 책은 나의 고양이들을 평생 기억하기 위해서 쓰는 것이다. 내가 잘하는 것이

"기록"이기도 하고 누군가 기억해주는 사람이 있다면 우리 냥이들도 나중에 헤어져도 마음 편하게 가지 않을까.. 아 이 얘기는 아직 준비가 안 되어 있어서... 생각만 해도 울컥하고 눈물이 앞을 가리니까.

딸은 또 시작이다. 이런다. 자신이 대학가면 초름이는 데리고 가고 싶다고 한다. 가장 스트레스는 받기도 하고 예민한 아이라 혼자 있는 게 좋을 것 같다고 말이다. 딸은 워낙 고양이를 좋아하고 그림도 그리니까 그럴 수 있다고 하지만, 요즘 아들은 자신이 대학가서 자취하면 포리를 데리고 가고 싶다고 한다. 원래 크게 고양이를 챙기고 그런 성격이 아닌데, 포리가 집에서 태어났기도 하고 유독 아들만을 너무나 따르기 때문에 그런지도 모른다.

난 그래도 강의하러 갈 때 열 마리 모두 쓰다듬어 주고 나오려하는데 쉽지는 않다. 그래서 그냥 나가면 모리는 항상 현관 앞에서 뒹굴면서 난리가 난다. 모두 사랑한다. 엄마가 바빠서 그냥 나가는 거니 서운해 하지 말렴. 오늘도 만져주길 바라며 현관에 따라 나오는 우리 냥이들. 엄마가 사랑한다. 그런데 생각해보니 서운할 것 같기도 하다. 아니, 서운하다. 사람 입장에서 생각해봐도 그렇다. 우리 고양이들은 동물이 아니라 가족이니까. 서운하겠다. 그러니, 엄마가 더 표현할게. 표현해야 더 큰 사랑이 되니까.

첫째 아이 하늘이

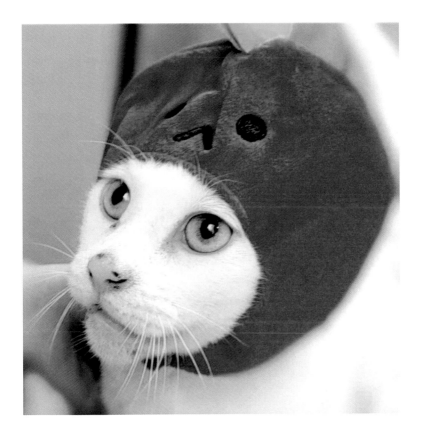

정말 예쁜 하늘색 눈을 가지고 있는 우리 하늘이♡
정말 눈이 하늘색이라 우리 딸이 지은 이름.

열 마리 중 가장 아픈 손가락이 아닌 가 싶다. 우리 하늘이는... 정말 내가 고양이에 대해서 알지 못할 때 만난 하늘이는 3번의 이사 내내 함께 했고 여러 우여곡절이 너무나 많았다. 사실 내가 고양이를 원하지 않았고 어떻게 대해야 하는지 전혀 알지 못하는 상황이었기에 항상 미안한 마음이 큰 대상이다.

현재 몸 상태도 그렇게 좋지 않다. 잘 모를 때라 케어도 못해서 모든 이빨은 발치 상태에 털도 많이 빠진다. 나이가 들어서라고 생각하기에는 아직 11살뿐이 되지 않았다. 하늘이는 수컷임에도 집에서 태어난 많은 고양이들의 대모 같은 존재였다. 그래서 어떤 고양이에게도 하악 거리지 않고 젖까지 물릴 정도로 순둥이다. 그래서일까.. 하늘이는 첫째라 다 이해해주고 참으니까 라며 소홀히 했던 것 같다. 잘 토하기도 하고 소변 실수도 한다. 가끔은 너무나 잠을 자서 일부러 깨워보기도 한다.

사실 하늘이는 내가 고양이에 너무 관심이 없을 때 집에 온 아이라 어린 시절을 크게 기억하지 못한다. 항상 옆에 있는 냥이들이 바뀌던 초창기 시절부터 있었으니 어쩌면 옆에 있는 것이 너무나 당연하게 여겨지기도 했으니 더 챙기지 못한 건 당연하다고 하면 내가 너무나 나쁜 거다. 앞으로 더 잘해주고 싶은데 스트레스로 자기 털을 뽑아버리고 꾹 참는 걸 보면 더 미안하다. 하늘아, 엄마가 옆에 있어. 스트레스 받지 말렴. 마지막까지 엄마가 항상 곁에 있을 거야.

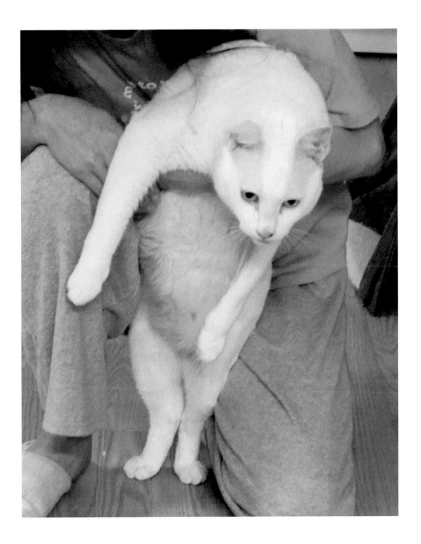

이젠 배불뚝이에 다리도 얇아서
웃기긴 하지만
그래도 가장 사랑해, 내 고양이

가끔 우리 하늘이는 어떤 생각을 할까 싶다. 혼자서 너무 삭이는 성격이어서 자꾸 다른 고양이들에게 양보해야 해서 스트레스 받은 건 아닌가 싶기도 하고. 그런 생각이 드는 거 보니까 우리 하늘이가 참는 거 같다. 아들이 열 마리 고양이 중에서 가장 사랑하는 고양이가 누구냐고 하는데 난 단연코 하늘이 이다. 어쩌면 미안하기도 하고 애틋하기도 하고, 그리고 나랑 비슷해서 그런 것일지도 모른다.

나는 참 잘 참는다. 처음 내시경 할 때 마취하지도 않고 했더니 엄마가 독하다고. 그런데 시간이 흐를수록 못 참겠다. 힘드니까. 우리 하늘이도 그러지 않을까. 처음에는 참을만했는데 이제 못해먹겠다 집사야 그러니 나 좀 봐 줘. 그러는 것은 아닐까? 이렇게 쓰고 나니 자꾸 슬픈 내용만 써진다. 아직 내 곁에 있는데 이별할 것처럼 구는 건 아니다. 가끔 네가 장난감에 미쳐서 막 달려들고 뛰면 엄마는 더할 나위 없이 그 모습에 기쁘다. 양보만 하지 말고 하고 싶으면 해. 알았지?

하늘아, 오늘도 엄마가 쓰담쓰담 해줄게.

그래도 우리 하늘이는 토할 때 이불이나 옷은 피해서 하고, 엄마에게 항상 다가와주고. 요즘 애기처럼 우는 데 엄마가 다 이해해. 우리 첫째, 오늘도 사랑해.

내가 들어오면 자다가 일어나는 우리 어르신.
너의 계속된 묘생을 엄마가 함께 할게.

순둥이지만, 장난감은 못 참지.
계속 그러게 날라 다녀줘.
표정 좀 봐. 표범 같은 느낌적인 느낌.
이런 모습에 너무나 감사해.

진짜 예쁜 하늘색 눈. 그래서 이름이 하늘이.
이젠 눈곱과 코딱지도 많아진 나이지만
그래도 사랑스런 아기.

오늘도 제일 마지막에 와서 부비고 가는 우리 아기.
좀 더 욕심내도 돼. 엄마가 다 이해해.
그러니 더 표현해. 힘들면 더 엄마가 표현할게.

둘째 아이 초초

우리집 가장 똑똑이인 삼색묘 초초

내가 가장 예쁘다 말하고 있는 우리 초초
입술의 점이 너무나 매력적이어서
먹을 복이 있다고 하지만 입맛은 까다로운 아이

하지만 심드렁하게 누워있다가도
가장 먼저 애교를 부리며 내 두 다리를
휩쓸고 다니는 너무나 예쁜 아이.

초초는 정말 너무나 예쁜 아이이며, 우리집에서 가장 똑똑함을 자랑하는 아이이다. 첫 아이를 출산할 때 정말 어쩌면 그렇게 깔끔하고 건강하게 낳았는지 모른다. 그 아이를 분양 보낼 때 정말 오랫동안 찾고 울었었다. 그래서 난 다른 냥이들도 그런 줄 알았는데... 분양간 그 첫째 아이는 지금도 연락을 공유하는 집에서 너무나 건강하게 잘 지내고 있다. 그 아이는 원래 집에서는 치즈였는데 지금은 다른 이름이고, 외모도 초초가 아니고 아빠를 닮아서 늠름해져 있다. 초초는 스코티쉬폴드 종으로 삼색이다. 정말 나에게 초초는 미묘라서 어떻게 봐도 너무나 사랑스럽다.

이 아이는 자신이 어떻게 행동해야 하는지 잘 알고 좋아하는 집사와 그렇지 않은 집사도 분명히 구분한다. 품을 잘 안주지만 나에게는 언제나 안기고 꾹꾹이도 끊임없이 해주는 사랑 많은 아이이다. 너무나 예쁜 아이인데, 단 한번 이 아이의 외모로 놀란 적이 있었다. 털이 하나 뭉쳐서 집에서 정리가 안 되어 미용실을 간 적이 있었다. 털 깍는 것을 너무나 싫어해서 우리집 전문가 딸도 제대로 깍은 적이 없기 때문이다. 하지만 그렇게 검색해서 갔건만... 우리 초초는 머리 부분만 털이 있고 희한하게 선이 뚜렷하게 그 아래 털이 다 사라진 것이었다. 아... 내가 딸과 어떻게든 털을 밀어줄걸... 정말 다시 털이 자랄 때까지 너무나 웃겨서 보다가 정말 다시 털이 자라지 않으면 어떻게 해야 하나 매번 울면서 보았었다. 초초도 소위 말하는 털 빨이 있었구나 ㅎㅎ 하지만 초초도 스스로 아는지 털이 길 동안 우울해 하는 것 같았다. 그래서 그 이후 나와 딸이 수없이 많은 방법을 동원해서 뭉친 털을 밀어 주고 있다. 다시 맡기지 않을게, 영원한 미묘.

미안해, 너의 흙 역사. 진짜 머리만 둥둥 떠다니는 것 같아.
딸과 매일 웃으며 울었다. 털이 언제 다 기냐고.

항상 하늘이가 첫째라 어르신하고 부르짖었는데 생각해보니 네가 둘째구나. 우리 초초 계속 아기 같은데 벌써 시간이 이렇게 흐르는구나. 요즘 자꾸 애기처럼 우는데 엄마가 바쁘다고 다른 데 봐서 미안해. 엄마가 더 봐주고 사랑해줄게. 그래도 오늘도 엄마 책 위에 올라가서 안내려가는 건 좀 그래. 역시 넌 똑똑하니까 영어책 위에 올라가는구나. 역시. 넌 사람이었으면 진심 서울대나 카이스트에 가지 않았을까? 똑 부러지는 우리 초초. 털 빨이라는 말은 취소할게.

넌 언제나 예뻐. 너무나 예뻐. 엄마가 살아 있는 동안 너는 최고로 예쁜 나의 첫 번째 미묘, 고양이일 거야.

진짜 예쁘다.
어쩌면 이렇게 예쁜 삼색을 가지고 있을까.

요즘 자꾸 눈곱이 많이 껴서 속상하지만 그래도 예쁘다.

나는, 매일 사랑스런 열 마리 고양이와 산다

처음으로 벌레를 물어서 온 날.
기겁했다. 선물로, 싫어!!
지금도 놀란다. 너의 마음만 받을게.

셋째 아이 슈슈

진짜 크림치즈 찐빵이 슈슈

슈슈는 진짜 알다가도 모를 아이이다. 평소에 슈슈는 정말 애교쟁이인데 갑자기 급발진 하악 거린다. 물론 이유를 대충 알긴 한다. 슈슈에겐 만지면 예민하고 아픈 부분이 있어서 살짝 건드려도 화를 내는 거라는 것을. 그럼에도 우리 슈슈는 정말 슈크림처럼 생겨서 너무나 귀엽다. 약간 눌린 찐빵 같기도 하고. 딱 <슈렉>에 나오는 장화신은 고양이와 너무나 똑같이 생겼는데 얼굴이 좀 많이 눌린 것 같은 ㅎ 우리 아들은 슈슈가 못생겼다고 하지만 음, 꽤 예쁜 것은 아니지만 정말 귀엽다. 꼬리도 뭉툭하고 사실 급발진이 심해서 가끔 놀라기도 한다. 하지만 언제나 사랑을 구하는 눈빛으로 나에게 다가와 아주 안기도 뒹군다.

집에 새로운 사람이 오면 슈슈는 제일 먼저 달려가서 만져달라고 애교를 부린다. 중성화할 때 병원에 갔을 때도 나는 보이지도 않았다. 의사선생님과 간호사 선생님들과 얼마나 잘 지내는지 내가 엄마집사인지 잊어버린 것 같았다.

하지만 우리 슈슈는 정말 새끼를 낳고도 자기만 생각해서 한 번도 제대로 케어해주지 않아서 탯줄도 다 우리가 잘라주고… 그러다 처음엔 탯줄이 잘못 잘려 새끼가 죽기도 하고. 정말 여러 가지 역사를 함께 했다. 아마도 자신이 평생 아가라고 생각해서 그렇게 모든 사람에게 붙는 걸까. 그래도 슈슈 아가들이 지인들에게 가서 소식을 들을 수 있어서 다행이다. 사랑받으며 묘생을 보낸다는 소식은 나에게 정말 큰 기쁨이다. 그러니 슈슈야, 너도 엄마랑 오랫동안 행복한 묘생을 보내자꾸나. 급발진은 좀 자제해줘. 뭐, 사실 초창기 관리를 잘해주지 못해서 이빨을 다 발치해서, 슈슈는 이빨이 없다. 그래서 슈슈가 물어도 아프진 않다. 그럼, 물어라~~

평생 아기하려고 그런 것 같아.
저러다 나와 마주치면 돌격

나는, 매일 사랑스런 열 마리 고양이와 산다

슈슈는 질투심이 엄청 심하다. 내가 앉으면 무조건 다가와 옆에 누워있다. 집사를 독차지 하고 싶어서 그런지 집사에게 집착이 강하고 새로운 무언 가에도 항상 질투가 심하다. 그래서인지 새로운 장난감에 미친 듯이 질주하고, 다른 고양이들에게 예민하기도 하다. 슈슈, 그녀가 장난감을 어찌나 물어 뜯어 놓는지... 다른 냥이들이 가지고 놀기도 어려울 정도로 만들어 놓는다. 그러다 잘 놀기도 하고 애교 부리는데 급발진은 허유. 난 슈슈의 발톱을 절대 못 건드린다. 물론 슈슈는 스코티쉬폴드의 유전병이 이미 발현이 돼서 특히 안으로 들어간 발톱이 정말 아프다는 걸 안다. 초초랑 같은 연배의 우리 슈슈야. 아프니 짜증부리는 거 아는데 엄마가 자꾸 급발진이라고 무섭다고 해서 미안해. 또 빵떡이라고 놀려서 미안해. 그런데 그게 너무나 귀엽기는 해.

그러니 오늘도 뭉뚝한 꼬리로 탁탁 치며 나한테 와, 나 좀 예뻐해줘 라고 하는 눈빛을 외면하지 않으려고 노력할게. 내가 눈 마주치면 자꾸 달려와서 거의 온몸으로 안기는데 부담스럽다고 저리가 라고 해서 미안해. 잉, 자꾸 미안하구나. 그래도 그냥 만져주면 가만히 있으면 되는데 물개처럼 몸을 계속 돌며 움직이니 만지기 힘들어. 그러다 또 심기가 불편해지면 돌진하니, 참 이 녀석. 가끔 슈슈는 고양이보다 움직이는 모습을 보면 미니미 물개 같기도 하다.

그래, 귀엽다 슈슈.

둥글둥글 뭉툭한 뒤태가 너무나 귀여운 우리 슈슈
뒤태는 판다 상이다.

나는, 매일 사랑스런 열 마리 고양이와 산다

발치해서 물어도 안 아픈데
엄마가 오버했나봐. 다 받아 줄게.

장난감 독차지한 무법자, 슈슈
새 장난감이 오면 항상 먼저 독차지

우리집 최초 앉아있는 고양이, 초름이
멀리에서 보면 고양이가 아닌 듯하다.

초름이는 초초의 딸이다. 초초의 두 번째 출산에서 제일 먼저 태어난 아이이다. 그 때 총 네 마리의 아이들이 태어났고 초름이는 아빠인 구름이의 이름과 엄마인 초초의 이름에서 따와서 지은 이름이다. 이름은 모두 우리 딸이 지은 거라서. 암튼 둘째 태양이, 셋째 하름이, 넷째까지.(넷째는 내 지인에게 분양가서 지금 이름이 홍시라서 집에 있을 때 딸이 지어준 이름이 생각이 안 난다.) 네 마리 모두 사랑하는 초초의 아이들이라, 그냥 분양 보내고 싶지 않았다. 그리고 그 때는 남편과 주말 부부이기도 하고, 남편자취방으로 하름이를 너무나 예뻐해서 데려갔다. 그 후에 하름이가 외로워하는 것 같다고 태양이를 데리고 갔었다.

사실 초름이는 엄마인 초초와 똑같이 생겼지만 정말 털 색깔이 너무나 다르다. 분양 보내려고 했으나 모두가 원하지 않았다. 지금 생각하면 우리 품 안에 있어야 할 운명인 가보다 생각한다. 초름이는 너무나 소심하고 진짜 소심한 아이이다. 중성화하러 가서 한 시간 후에 데리고 가려고 기다리는데 병원에서 급히 전화가 왔다. 아이가 개구호흡을 하며 침 흘리고 난리가 아니라 빨리 데려가라고. 정말 겁 많은 초름이는 마취가 깨고 나서 개구호흡을 하며 침을 계속 흘려서 온 몸이 젖을 정도였다. 그런 아이였기에 오송으로 이사 와서 스트레스가 극에 달했는지 뒷다리를 못 쓰고 질질 끌고 다녔을 때 아... 너무나 울어서 죽는 줄 알고... 병원에 데려가도 별 원이 없었다. 3일간 입원하고 검사하며 거의 250만원을 썼다. 초름이가 예민하다니 걱정이면서도, 다행히 건강해져서 집으로 왔으니 된 거지. 정말 이 녀석, 오래 살아라.

이 앵글에서도 살아남는다. 어찌 이리 귀여울까.
진심 고양이인데 올빼미 같다, 초름이

초름이는 정말 삼색이인데 회색으로만 보인다. 진짜 자세히 보면 치즈색이 보이는데 다들 모른다. 그리고 초름이는 가끔 올빼미로, 원숭이로, 물개로 보이기도 한다. 고양이인데 여러 모습으로 보이는 걸 보니, 초름이의 매력은 한도가 없구나. 다양함을 장착한 넌 참 항상 웃음을 준다. 그 모습을 보면서, 나와 딸은 항상 폭소하며 사진 찍기 여념이 없다. 어떤 모습이든 사랑하니까 아프지마. 스트레스 잘 받는 예민한 유형이라니 엄마가 더 사랑해 라고 표현하는데 나랑 딸만 잘 따르니 더욱 더 신경 쓰고 있지.

너무 예민 보스라 작은 소리에도 뛰어오르니 조심하려고 해도, 엄마야~~ 라고 부르면 그제서야 야옹~이라고 길게 울으며 안도한다. 집에 낯선 사람이 오면 진짜 어디에 숨었는지도 모를 지경이다. 초름이 털 색깔이 거의 회색 이다보니 어둠 속에 숨어 있으면 잘 보이지 않는다. 애타게 찾아도 나타나지 않고 낮은 포복으로 진짜 땅에 붙어서 다른 곳으로 조용히 이동한다. 그래서 우리는 왠만 하면 초름이에게 스트레스를 주지 않으려고 노력한다. 그런데 청소기 소리에도 문 여닫는 소리에도 모두 다 놀아버리니 걱정이긴 하다. 걱정이 되면서도 나도 진심 잘 놀라는 유형이라서 왠지 초름이와 동기화가 되는 것 같기도 하다. 그런 모습에 더 안쓰럽기도 하고 내 가족이니까 항상 신경 쓰인다. 소중하니까.

진짜 배꼽잡고 웃게 하는 너의 자세.
그게 너의 매력이지. 사랑한다, 초름아!
근데 분명 고양이의 자세는 아니야.

오묘한 털 색깔. 너만의 매력 포인트야.

나는, 매일 사랑스런 열 마리 고양이와 산다

다섯 번째 아이 모리

너의 꽃 미모. 엄마에게 와서 꽃 피웠구나.

모리는 남편의 '렉돌' 로망의 시작이었다. 원래부터 렉돌을 키우고 싶었단다. 키워보니 참 애교 많고 사람을 따르는 고양이 종이었다. 하지만 모리는 남편 말로는 사기를 당했단다. 워낙 분양가가 높았던 렉돌을 저렴하게 분양하겠다고 하고 먼 곳에서 기차타고 지하철 타고 천안까지(남편은 천안에 살고 있었다) 왔다고 했다. 어디인지 나는 잘 기억이 나지 않는데 어떤 아줌마가 모리를 데리고 오는데 사진과 너무나 다른 아이가 있었단다. 남편은 속았다고 직감했지만 그 먼 거리에서 왔다니까 데리고 왔다고 했다. 사실 남편은 그 후로 정말 예쁜 렉돌들을 또 분양받아왔고 모리는 찬밥이었다.

주말마다 남편 자취방에 갈 때마다 모리는 항상 구석에 있었다.(그 땐 이미 예쁜 렉돌 3마리가 남편 자취방 있었다.) 그 좁은 곳에 혼자 쭈그리고 들어가 있어서, 나와 딸은 항상 마음이 찢어질 정도로 아팠다. 그래서일까? 나와 딸은 항상 언젠가는 대전으로 모리를 데리고 와야겠다고 생각을 했다. 그러다 중성화를 핑계로 나에게 맡겨진 모리는 대전 집으로 오게 됐다. 집에 도착한 그 순간부터 모리는 달라졌다. 사람이든 동물이든 사랑을 받는다는 것을 아는 것 같다. 사랑을 듬뿍 받은 모리는 미모에 꽃이 폈고, 정말 애교쟁이가 되었다. 뭐 외면을 보면 눈이 약간 모여 있어서 약간 억울하게 보이기도 한다. 하지만 그마저도 너무나 사랑스럽고 예쁜 아이. 지금 나에게는 어떻게 보아도 너무나 소중한, 우리 모리이다.

너무나 사랑스럽게, 엄마와 언니에게 집착을 보이는
내 고양이 모리

모리는 오송으로 이사 오고 나서 생각지 못한 재주를 발휘하기 시작했다. 예전에 TV에서 문 여는 고양이를 본 적이 있었는데, 우리 모리가 문을 여는 거다. 기가 막히게 말이다. 정말 <세상에 이런 일이>에 제보할 정보로 뛰어난 문 여는 기술을 발휘한다. 하도 문을 열다보니 문고리도 부셔버릴 정도다. 그래서 문 앞에 의자를 놓고 문고리를 옷가지로 가려 놓아도 밖에 나갔다가 집에 들어오면 문이 열린 상태다. 그런데 모리는 희한하게도 스스로 열고 잘 들어가지 않는다. 다른 고양이들이 들어가도록 문만 열어준다. 어쩌면 우리 모리는 우리에게 자신의 존재감을 더 드러내고 싶었던 것은 아닐까.

그래서 딸이 만든 묘책은 모리가 문을 열면 그냥 방안에 두고 문을 닫는다. 한 5분 있다가 들어가 보면 모리는 아주 얌전히 자리에 앉아 있다. 하지만 다른 녀석들은 들어가기만 하면 딸 방을 난리로 만든다. 그래서 모리가 문을 열고 다른 냥이들이 방을 점령?하면 난리가 나니 매일 청소하기 바쁘다. 모리는 모든 방문을 열 수 있지만 유독 딸 방에 올인 한다. 내가 안방에 혼자 있으면 열려고 기를 쓴다. 아마도 모리가 가장 편한 대상이 나와 딸이라서 그런 것이 아닐까 싶다. 오늘도 나만 졸졸 쫓아다니는 모리. 방에 들어와서 말썽 피우지 않고 정말 감상만 하고 다닌다. 신기한 아이.

이제 아주 자신의 미모에 빠졌다.

정말 예쁘지 않은가. 정말 사랑스럽다.

제일 좋아하는 언니 손에 골골골

물론 엄마 손에서도 골골골

나는, 매일 사랑스런 열 마리 고양이와 산다

정말 말대꾸 잘하고 대답도 잘하는 고양이

여섯 번째 아이 하리

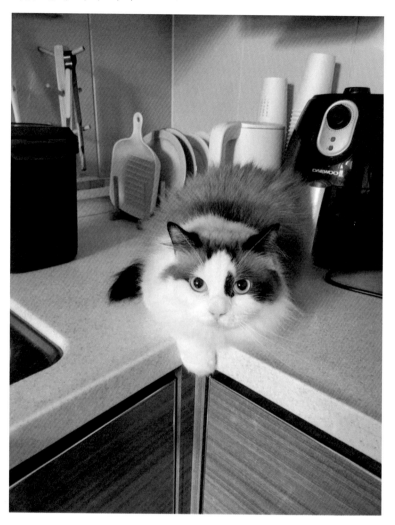

렉돌 미모의 완성형을 보여주는 하리

하리는 남편이 가장 사랑하는 아이이다. 모리 이후로 하리를 분양받고 애지중지했고 항상 남편 품에 있었다. 그러다보니 오송으로 이사 오고 일 년이 지났지만 하리는 항상 남편을 향해 운다. 왜냐하면 이사 오면서 안방, 딸 방, 아들 방 즉 사람이 기거하는 공간과 고양이들의 공간을 분리했기 때문이다. 그래서 남편과 좀 다툼도 있었고 지금은 밤에 아빠가 있는 침대 위로 올라가지 않으면 안방문을 아주 뜯어놓는다. 그래서 하리만 특별대우처럼 안방을 허용한다. 그런 점이 난 탐탁지 않다. 모두에게 동일하게 해주고 싶으니까.

그러나 허용할 수밖에 없는 이유는 하리는 앞다리 하나가 없기 때문이다. 남편이 천안 살 때, 원룸이 5층이었는데 다른 빌라보다 좀 더 높았다. 그런데 하리가 원래도 무게가 있었고 유연성이 없던 하리가 갑자기 새벽에 벌레를 잡으려고 했던 것 같은데 밖으로 떨어졌다. 새벽이기도 했고 남편은 전혀 몰랐다고 했다. 알게 된 후 나랑 딸이 천안에 급히 갔고 우리는 전단지를 붙이고 찾아다녔지만 찾지를 못했다. 내가 검색하다가 고양이탐정을 알게 되었고 그 분이 멀리에서 오셨다. 그 분이 주변을 살피다가 흔적이 안 보인다고. 아무래도 품종묘이고 흔적이 안 보이는 것 같으니 누군가 데리고 있는 것 같다고. 진짜 사례비를 올려서 전단지를 다시 붙였지만 연락이 오지 않았다.

그러다 남편이 근처 병원에 전화를 하기 시작했다. 아무래도 하리 몸무게도 있고 5층이 다른 원룸보다 높았기 때문에 다쳤을 거라고. 결국 병원 한 곳에서 하리인상착의와 똑같은 아이가 치료받으러 왔다고 했고 병원에서 그 분께 연락해주기로 했다.

떨리는 마음으로 기다리는데 연락이 왔다. 바로 옆 원룸이었다. 바로 옆이라 전단지를 붙이고 그 다음날 봤을 때 전단지가 떨어져 있길래 또 붙여도 없기에 이게 뭐지 했는데... 고양이탐정님이 분명 키우려고 했을 거라고. 그 다음날도 사례비 안 받고 또 도와주려 오셨을 때 하셨던 말. 근처 대학교 여학생 두 명이었다. 하리는 부러진 다리를 그냥 간단히 치료한 상태였다. 정말 남편도 나도 딸도 울었다. 그 여학생은 사례비에 병원비, 이미 키우려고 했는지 고양이 물품비까지 모두 받아갔다. 아... 억울했지만 품에 다시 온 것이 어디냐.

하리는 다리 접합 수술을 받았지만 다리 부러졌고 또 받았지만 이 미친 병원에서 수술만 계속하고 아이의 상태는 계속 안 좋아졌다. 그렇게 자신이 없었으면 그렇게 고생시키지 않고 지금처럼 다리 절단을 미리 했을 거다. 정말 고생을 너무나 많이 했다. 세 번의 수술에 아이는 더 어리광쟁이가 되었고 아빠만 오면 거의 초스피드로 안방으로 뛰어 들어간다. 그래서인지 그 때의 마음도 생각나고 해서 봐주는 것도 있다.

정말 걱정했는데 하리는 지금 세 다리로 잘 지낸다. 아마도 어릴 때 다리를 잃어서 더 적응이 빠른 것 같기도 하고 우리가 너무나 사랑해줘서 용기 갖고 일어선 것 같기도 하다. 다만 몸무게가 더 늘어나서 걱정되긴 한다. 그래도 저리도 날렵하게 움직이는 것 보면 괜찮은 가 보다. 털 찐 것 아닌 살 찐 우리 하리. 세 다리로 날아라.

표정 봐라. 새침하다 녀석. 아빠 없으면 나 찾으면서.
내 옆에서 꼭 붙어 자면서 짜아슥.

세 다리로 저리도 밸런스가 좋다니!
요가나 필라테스 자세 같군.

　여전히 하리를 다른 고양이들과 똑같이 대하고 싶은데 또 마음에 쓰이니 들여보낸다. 사실 결혼하고 내 방을 갖지 못 했고 지금도 남편과 같이 사용하니 내 방은 아니다. 안방이 넓은 편이라 책장이 크게 3개가 자리 잡아 있지만 어쩐지 공부와 일은 부엌 넓은 식탁 위에서 하게 된다. 그리고 내 성향상 너무나 조용하면 집중이 안 되서. 그래도 방에 있는 책장과 책상은 내 공간으로 잘 정돈이 됐으면 좋겠는데 냥 이들이 들어오면 난장판이 되니 그냥 그 공간은.... 내 마음 이 그렇다는 거다. 그렇다고 하리를 미워하는 것은 아니니, 오해말자.

우리 통통이. 털 빨이 절대 아닌 살이야.
아빠 없으니, 내 곁에 와서 한껏 애교 부리다
저리 편안하게 누워 있다.
진짜 털 같지만 살이다.

그래도 아빠 없을 때나 아빠가 방에서 내보내면
귀신처럼 내 곁에 와서 애교를 부리는 걸 보면
눈치가 타고 났구나.
아직 아기니까 이해한다.

아 미안. 멍 때려도 귀여워.
엄마 배 위에 올라가 있으면 무겁지만
그래도 귀여워.

일곱 번째 아이 뚜리

진심 엉뚱한 우리 뚜리. 너가 좋으면 됐지.

뚜리는 여덟째 아이 쵸리와 자매이다. 이 아이는 남편이 새끼들을 낳게 하려는 욕망?으로 하리는 숫컷 이니까 같은 렉돌인 암컷을 찾다가 데리고 온 아이이다. 사실 여덟째 아이인 초리를 데리러 갔다가 블루바이인 뚜리를 그 집사가 싸게 데려가라고 해서 데리고 온 아이이다. 그 집은 일종의 가정 부리더인데 음 이런 동물분양법 참 마음에 안 든다. 암튼 뚜리는 진짜 초름이와 비슷하다. 천안 집에 있을 때 뚜리는 온갖 구석에 박혀있었다. 그래서 주말에 천안에 가면 뚜리 엉덩이만 보고 올 때가 많았다. 얼굴을 진짜 제대로 본 적이 없는 것 같다.

그런데 이 아이도 우리와 함께 살면서 정말 밝아졌다. 먼저 와서 몸을 뒹굴며 애교를 부린다. 남편의 차별이 만든 상황이 우리가 사랑을 주니 바뀐 거지. 뚜리는 아직도 눈치를 보지만 내가 일 끝나고 집에 오면 현관 바닥에서 하도 뒹굴어서 웃긴다. 갑자기 급 다가와서 몸을 뒹굴면서 만져달라고 한다.

정말 웃긴 상황은 만져달라고 하다가 안으면 후다닥 눈 굴리며 도망가기 때문이다. 눈 굴리기가 아주 신묘하다. 눈치를 싸악 보다가 만져주는 내 손에 의지하면서도 엉덩이를 저 쪽으로 빼고 언제든지 달아날 수 있는 여지를 두고 있다. 그래서 안는 건 엄두도 못 낸다. 품 안에 안겨 있다가도 계속 눈을 굴리며 도망갈 곳을 찾는다. 그런데 그 모습이 너무나 웃겨서 자꾸 안게 된다. 그래도 뚜리가 스트레스 받으면 안 되니 놔주지만 캣타워 위로 올라가서 오늘도 눈을 굴린다. 참 웃긴 녀석. 이러면서도 눈은 항상 나에게 고정이다. 또 만져달라고? 그럼, 얼마든지!

진짜, 불쌍한 표정을 짓는다.
내가 얼굴 보려고 딱 못 움직이게 잡으면
이렇게 표정을 보인다.
아, 진짜 웃겨.
아냐, 너 진짜 예쁘다구!!!!

언니가 웃기게 찍기도 했지만
진심 불쌍한 표정 잘 짓는 것은
사실이라고.

격하게 싫은 장식품. 떼어내, 이 집사야! 이런 표정.
그래도 다 찍고 떼주었다. 미안해.

나는, 매일 사랑스런 열 마리 고양이와 산다

요즘 아들인 포리가 너무나 하악 거리며 괴롭혀서 걱정이긴 하다. 뚜리는 아들인 걸 아는지 아니면 힘의 차이를 느껴서 그런지 자꾸 당한다. 고양이들은 모성애가 강한 아이가 있기도 하고 그렇지 않은 아이도 있다. 사람도 그러니까 고양이가 그런다고 이상한 건 아닌 것 같다.

지금도 충분히 매력적인 뚜리. 앞으로 더 오래 오래 우리와 함께 살면서 매력을 보여줘. 아마도 뚜리의 매력을 계속 볼 사람은 나 같다. 딸도 아들도 대학은 집에서 안 다닌다니, 각자 데리고 가고 싶은 고양이 데리고 나가면 집에 남는 아이들은 내가 책임지고 살아가야 하는 것이니까. 뚜리는 아마도 이제는 사랑받는다는 것을 알지 않을까? 그러니 그렇게 더 잘 돌아다니고 애교도 부리는 거겠지? 뚜리야, 좀 더 다닐 수 있는 공간을 이 집에서 늘리려는 거지? 더 잘 돌아다녀. 놀라지 말고. 그럼에도 오늘도 또 놀라고 도망가고. 그러다 다시 품 안으로 와서 애교 부리는 걸 보면 넌 우리 가족 맞아. 엄마가 계속해서 쓰담쓰담 해줄게. 알지?

오늘도 슬그머니 옆에 와 있다. 만져주면 너무 좋아서 엉덩이를 높이 올리며 행복하게 그르렁 거린다. 그런데 내가 일어서면 뚜리도 일어나서 가버린다. 밀당이냐.

표정이 뚜해서 이름을 딸이 뚜리하고 지은 건데
참 잘 어울린다 말야 하하. 언니가 그린 그림 박스 위에서

여덟 번째 아이 초리

정말 예쁘게 자는 예쁨 가득 초리
우리집에서 가장 작은 아이

초리는 뚜리와 배다른 자매이다. 그래서 생일이 같지만 정말 한날에 태어났나 싶기도 하다. 비슷한 때 태어나서 그 가정 부리더가 그렇게 말한 것 같다. 초리는 정말 예쁘게 생겼다. 그래서 초리 아가들은 정말 금방 분양되기도 했다. 사실 초리는 가까이 오기는 해도 품에 쏘옥 안기거나 애교를 부리는 아이는 아니었다. 그런데 중성화를 한 후에 정말 적극적이고 애교가 최강이 되었다. 잘 때도 편하게 자고 진심 이제야 묘생을 누리는 것 같기도 하다.

초리는 중성화 전에도 애교는 참 많았다. 하지만 손닿기 무섭게 도망가기 천재였다. 눈 부위가 검은 털로 가득해서 눈동자가 잘 안보이니 얘는 무슨 생각을 할까 눈을 감은 걸까 쉽기도 하고. 마음을 잘 주지 않는 것 같고 주말에만 보니 그런가 싶기도 했다. 하지만 같이 살면서보니 이건 그냥 초리의 성향이었다. 아무래도 완벽한 I인데 가끔? 자주? E 성향을 드러내는 것 같기도 하다. 그런데 너무나 신기하게 중성화 수술 후 너무나 잘 안기고 제대로 된 애교를 부린다. 가뜩이나 예쁘게 생겼는데 애교까지 부리니 살살 녹는다. 그래서 그런가? 초리의 딸인 마리도 애교가 넘치고 너무나 예뻐 죽을 지경이다.

초리는 부르면 달려온다. 그 모습이 완전 총알 같아서 깜짝 놀라기도 한다. 아직도 눈 주변 털이 검어서 눈동자가 잘 안보이지만 그것 자체도 매력이어서 너무나 사랑스럽다. 애정을 기울이고 그 대상을 자세히 오래도록 보면 그 상대의 마음도 녹아버리나 보다. 그리고 나도 그 상대도 그 마음을 아는 것이 아닐까. 아직도 그냥 도망갈 때 급 뛰어가서 놀라기도 하지만 어떻게 해도 예쁜 초리이다.

중성화 후 아주 자세가 변했다.
편해보여서 좋긴 한데 하하하

우리집에서 가장 크기가 작아서 정말 한 품에 쏙 들어오는 초리다. 그런 초리가 아가를 낳았을 때 참 걱정이 되기도 했지만 우리집 똑똑한 초초처럼 아가를 돌보는 데 너무나 지극정성이었다. 너무나 깨끗하고 정성스럽게 아가들을 돌보는데 정말 감동이었다. 초리가 낳은 아가들은 참 다 예뻐서 정도 많이 들었는데 모두 분양을 잘 가서 그게 오히려 더 다행이다. 우리집에서 초초가 가장 새끼 냥이들을 잘 돌보고 똑똑한 엄마라고 생각했는데 초리도 못지않다. 이름에 '초' 자가 들어가면 그런가? 고양이가 집에 열 마리가 무언가 수치로 객관화할 수도 있지 않을까 했지만 사람과 똑같은 것 같다. 무엇이라도 정의내릴 수 없다. 그리고 고양이 자체는 살아있다는 점은 사람과 같지만 정말 알다가도 모를 대상이다. 사람도 그러하겠지만 말이다.

오늘도 초리는 쩍벌한 자세로 세상 제일 편안한 자세로 누워있다. 원래 그런 성격이었는지 진짜 중성화 이후로 편안해진걸까. 뭐 사람도 그 속을 알 수 없듯이 초리도 알 수가 없는 거지. 근데 그 전이 무엇이 중요하니. 네가 편안하다니, 그걸로 된 거지. 앞으로도 언제든지 최대한 편안하게 누워있으렴. 엄마는 언제든 환영이야. 오늘도 애교부리느라 슈슈처럼 물범 비슷하게 몸을 돌리는데 정말 사르르 녹는다. 예쁘다. 내 고양이들은 다 이쁘지.

우리집에서 제일 조그마한 초리
팔다리가 얇고 길쭉길쭉

눈가 털이 검어서 눈동자와 구분이 안 될 때도 있다.
눈을 뜬 것인가 감은 것인가

나는, 매일 사랑스런 열 마리 고양이와 산다

아홉 번째 아이 포리

늠름하다, 우리 포리, 튼튼하다!

포리는 남편이 애정 하는 하리의 아들이다. 뚜리의 아들이기도 한데 남편이 그 때 태어난 아이들을 너무나 예뻐해서 한 마리는 데리고 있어야 한다고 고집을 부려서 키우기로 한 아이이다. 그래서 애기였을 때 남편이 하도 안고 데리고 다녀서 주변 사람들의 사랑을 많이 받기도 했다. 남편은 전에 살던 천안에서 단국대 주변 산책로를 나갈 때면 포리를 정말 많이 데리고 다녔었다. 하지만 하리의 크기를 닮아서 그런지 점점 더 몸집이 커지더니 늠름함이 더 눈에 띠게 되니 데리고 다니지 않았다. 사실 지금은, 내가 들기에 좀 버겁다.

그리고 이 녀석은 희한하게 아들만 따른다. 아들은 사실 고양이에 관심이 별로 없는데 포리가 자길 너무나 따르는 것을 잘 안다. 그래서 그런지 아들은 요즘 항상 자신이 대학가서 자취하면 포리를 데리고 가겠다고 입버릇처럼 얘기한다. 정말 나랑 딸이 아무리 불러도 오지 않는데 포리는 아들방문 앞에서 망부석처럼 기다리고 있다. 그리고 아들이 나오면 따라다닌다. 이 녀석, 서운하다.

그래도 예쁘다 하고 쓰다듬어 주면 나를 빤히 바라본다. 쓰다듬어 주다가 안하면 또 쓰다듬으라고 아주 그윽한 눈빛으로 바라본다. 그럼, 아이 예뻐를 외치게 된다.

뭐야, 이 녀석. 밀당이냐? 그래, 형을 좋아하는 것은 알겠지만, 형도 좋아하고 엄마도 좋아해줘. 뭔가 구걸 같다. 형을 더 좋아하는 것은 알겠으니, 그것은 인정. 그래도 오래 오래 건강하게 살아줘. 엄마가 항상 함께 할게.

아하하항 표정이 너무 늠름해서 리본이 어색해.
예쁘다보다는 늠름해 가 잘 어울려.

사실 힘으로는 우리 포리를 이길 고양이가 없는 것 같다. 그래서 그런지 엄마인 뚜리는 기본으로 괴롭히고 막내인 마리, 우리집 소심쟁이 초름이 등 가리지 않고 괴롭힌다. 하리와 하늘이는 자신보다 덩치가 커서 그런지 건들지 않는다. 아, 이 녀석! 덩치로 편을 먹나보다. 우리집에서 아빠가 제일 크고 그 다음이 아들이니 집에 없는 아빠보다 아들에게 붙는구나? 오호? 글을 쓰다가 알았다. 이 녀석 자본주의 사회에서 힘에 붙는구나. 그래도 가끔 아기 표정으로 바라보면 사르르 녹는다. 실세는 엄마인걸 너는 모르는구나? 에이, 어찌됐든 사랑스럽다, 이 녀석.

오늘도 포리는 형만 따라다닌다. 뭐 오늘도 서운하긴 하다. 그래도 아들이 포리를 제일 좋아하게 된 계기가 이 녀석이 형만 따라다니고 형 바라기를 자처해서 그런지도 모른다. 집에 열 마리 고양이가 있으니 네 명의 집사 중 어느 편에 붙어야? 할지 잘 살펴보고 결정한 건가? 서운한 엄마 집사가 나름 머리를 굴려서 생각해본 건데 맞나? 맞으면 미안하기도 하고 틀리다 해도 괜찮아. 고양이에 관심이 별로 없던 아들이 포리라고 하면 나중에 독립하면 키우고 싶다고 하는 걸 보면. 포리야, 그러니 건강해야지. 형이 대학 가려면 아직 3년 반이 남았거든. 네가 살 수 있는 한 오래 오래 건강하게 살면서 지금은 엄마집사 집에서 그리고 그 후엔 형 집에서 함께 살아야지.

형아 사랑 듬뿍 받아서 좋겠다!

립글로스 바른데 코를 부벼서 저렇게 되어 버렸다.
웃겨서 숨넘어가는 줄

형을 향한 충성심 가득한 포리. 형 방문에서 망부석.
왜, 형만 좋아하니?

나는, 매일 사랑스런 열 마리 고양이와 산다

그래도 실신해서 자는 너를 사랑할 수밖에 없다.

사랑한다, 우리 포리.

열 번째 아이 마리

현재 가장 애정 할 수밖에 없는 막둥이 최강, 마리
어떤 표정도 사랑스럽지 않은 표정이 없다.
마리야, 너의 한쪽 눈이 보이지 않는 것은
다 이유가 있었던 거야.

우리집 마지막 고양이, 넌 사랑이야.
평생 막내, 오늘도 애교애교

나는, 매일 사랑스런 열 마리 고양이와 산다

마리는 초리와 포리의 딸이다. 내가 그렇게 중성화하라고 했으나 남편은 아직 욕심을 버리지 못했고 이사 와서 포리와의 사이에 3마리의 새끼가 태어났다. 그 때 태어난 아이가 마리이다. 사실 처음에는 빨리 3마리 분양 보내자 해서 마리도 그렇게 보내려 했었다. 그런데 초리가 두 달 뒤에 6마리의 새끼를 또 낳았고 정말 정신이 없었다. 집에 새끼만 9마리니 총 19마리의 고양이들이 집에 있는 거였으니까. 3마리 낳고 나서 초리를 빨리 수술시키려 했지만 임신을 알게 되었고 급히 포리 중성화를 해서 그 후를 우선 막긴 했다.

암튼 그 6마리는 모두가 너무나 예뻐서 모두 분양 보냈다. 그 전 3마리에서 한 마리는 빨리 분양 갔지만 마리를 빼고 다른 한 아이는 좀 더 커서 갔으니 좀 늦었다. 그리고 마리는 정말 예쁘게 생겼지만 분양을 보내지 못했다. 처음에는 몰랐는데 아이의 눈이 이상한 거다. 그래서 오송에는 동물병원이 없으니 청주로 갔는데 눈 전문병원으로 가라는 거다. 남편이 시간이 안 되서 내가 집에서 40분 넘는 거리에 있는 청주 청원구에 위치한 고양이 눈 전문병원을 찾아서 갔다.

병명은 선천적 녹내장이라는 거다. 마리는 태어날 때부터 한 쪽 눈이 보이지 않았던 거다. 하지만 모를 수밖에 없었던 이유가 정말 티가 나지 않았다. 그러나 한쪽 눈이 이상하게 커지기 시작했고 그래서 양쪽 눈을 번갈아가며 확인하니 한쪽이 보이지 않았던 거다. 다른 정말 고양이 안과 전문 병원에 데리고 갔지만 안압이 더 올라가지 않도록 하는 수밖에 없다고 했다. 그렇게 마리는 우리 가족이 되었다. 그런데 어떻게 생각하면 정말 다행이다. 마리는 정말 미묘에 애교가 진짜 말도 안 되게 많다.

안압이 더 오르지 않아서 정말 다행이야.
양쪽 눈은 다르지만 너무나 사랑스러워.

외출냥이가 가능한 아이는 현재 유일하게, 마리
병원을 자주 가서 그렇기도 하지만
그래도 다른 냥이들보다 밖에 자주 나가니
이젠 차 안에서도 이렇게 편안하게 숙면을 취해주신다.
뭐, 아직도 울긴 하지만 말이다.

무리해서 데리고 나가지는 않을께.
근데 자랑하고 싶어.
우리 예쁜 마리.

앉는 자세는 엄마를 닮았는데 자꾸 크기가 커지고 있다.
근엄한 표정은 아빠를 닮은 듯 하기도 하다.

마리는 태어날 때부터 눈이 보이지 않아서인지 유독 병원을 많이 갔다. 그래서인지 처음에는 불안해서 계속 울더니 이젠 차안에서 아주 여유가 넘친다. 차 앞쪽 유리에서도 그 진동을 느끼며 좋아한다. 하지만 차가 움직일 때는 위험하니 내려오게 한다. 이젠 그냥 껌딱지처럼 붙어 있긴 하지만 불안해서 말이다.

이 녀석은 진짜 애교가 최고라서 특히 나랑 딸 품에 완전 파고들고 잔다. 딱 중간에서 온 몸을 완전 기대서 말이다. 정말 이런 아이인데 사랑하지 않을 수가 있겠는가. 처음에 눈이 보이지 않는 걸 몰랐을 때 너무나 예쁘게 생겨서 제일 먼저 분양 보내겠구나 했다.

하지만 눈이 태어날 때부터 보이지 않는다는 것을 알게 되고 아, 이 아이까지 우리와 함께 살 평생 가족이 되겠구나 직감했다. 오늘도 마리는 나와 딸 품 안으로 들어와 온 몸을 맡기며 애교를 부린다. 너를 어찌 사랑하지 않을 수 있겠니. 사실 마리만 너무 예뻐하니 다른 냥이들에게 미안하기도 하다. 그래서일까. 아침에 일어났을 때나 강의하러 갈 때 열 마리 고양이 모두 쓰담쓰담 해준다. 마리 덕분일지도 모르니까. 서로가 좋은 영향력을 주는 것 같다. 그러면 됐지. 다 사랑한다. 마리로 인해서라고 해줄까? 그래 그런 것 같다.

사랑해, 우리 막둥이.

이뻐라. 그런데 클수록 얼굴 표정과 크기가 아빠 포리를 닮아 간다. 더 커지면 음, 그래도 사랑스럽다

앞으로도 영원히

사랑스런 솜방망이.
발가락 사이사이 만져도 가만히 있고 뽀뽀해도
가만히 있는 냥이들.
하도 만지고 뽀뽀해서 포기했는지도 모른다.
이렇게 핑크색 젤리도 있지만 검은색 젤리도 있다.
섞인 젤리도 있고.

우리 냥이들은 뭐든 소중하다.

고양이의 수명은 인간과 다르게 짧다. 당연히 안다. 사실 그 전에 세상을 떠난 아이들도 슬펐다. 하지만 그 때는 이 고양이들이 내 가족이라는 생각이 아주 크게 들지는 않았다. 그냥 신랑이 데려왔지만 내가 책임을 져야 하는 존재들이라고만 생각했다. 하지만 대전에서 그리고 지금 오송에서 함께 하게 된 이 열 마리의 아이들은 온전히 책임뿐만 아니라 내 가족, 내 아이들이라고 생각한다. 그래서 얘들이 떠나면 진짜 어떻게 해 하나 벌써 눈물이 앞을 가린다.

동물도 감정을 느끼니 내가 울면 하늘이는 정말 나에게 와서 비빈다. 그럴 때는 이러면 안돼! 하며 하늘이에게 뽀뽀를 해준다. 뽀뽀하면 입을 맞춰주는 유일한 아이가 하늘이이다. 다른 냥이들은 질색팔색 도망치거나 체념한 듯 내 뽀뽀를 받는다. 하늘이는 가만히 있으면 먼저 입을 맞추니 정말 특이한 것 같기도 하다. 열 마리 모두 특징이 다 다르고 다 너무나 사랑스러우니 난 복 받은 것 같다. 내 의지도 아니었고 정말 고양이를 키울지 몰랐다. 친정에서도 시댁에서도 항상 하시는 말씀은 버려라 남 줘라 문 열어둬서 나가게 해라 등등 이랬다. 지금도 당연히 좋아하시지 않는다.

하지만 난 얘기한다.
내 가족이라고.
이젠 내 가족이라고.

맑은 눈망울 하늘아,

넌 정말 엄마가 가장 사랑하는 아이란다. 이젠 털도 많이 빠지고 배도 나오고 팔다리는 얇아졌지만, 엄마 눈엔 너무나 귀엽고 사랑스러워. 앞으로 잠도 더 많아지고 아플 수도 있겠지. 엄마 마음으로는 오래 오래 건강하게 살기를 바라는데... 우리집에서 제일 착하고 예쁜 아이. 엄마는 진심 너를 제일 사랑해. 사람 나이로 하면 넌 이미 나보다 더 나이가 많지만, 엄마는 어르신보다 아가 하늘이로 부를게. 평생 엄마 첫 번째 아기, 우리 하늘이. 하늘색 맑은 눈망울 빛내며 엄마를 계속 불러줘서 고맙다. 네가 내 고양이라서, 행복해.

똘똘한 미묘 초초야.

시크한 표정이 도도해보이기도 하지만, 넌 정말 예뻐. 아들 집사는 초초가 왜 가장 예쁘냐고 하지만, 아들아, 너 몰라서 그런다. 진짜 얼굴 비율부터 털 색깔까지 초초는 다 예뻐. 특히 총명함은 우리집 고양이 중에서 가장 뛰어난 부분이지. 벌레도 잡아다주고, 햇살 따스한 곳은 기가 막히게 알아서 먼저 자리 잡는 도도한 초초. 그리고 무엇보다 새끼를 낳았을 때 너처럼 깔끔하고 완벽하게 낳은 냥이는 없었단다. 또 새끼냥이들 분양 보냈을 때 너처럼 찾는 아이도 없었지. 예민하기도 한데 넌 좋고 싫음이 분명한 것이라고 생각해. 그래서 엄마에겐 평생 미묘하면 우리 초초라고 부를 거야.

평생 아기 슈슈야,

다 컸는데도, 언제나 아기 같은 우리 슈슈. 나랑 딸이 앉아 있기만 해도 재빠르게 옆자리를 선점해서 사랑받으려고 비비적 거리는 우리 슈슈. 근데 아빠랑 오빠에게는 별로 가지 않아. 희한하게도 낯선 사람이 오면 더 안겨. 그래서 딸과 나는 너를 보고 이런 배신자라고 부르기도 했지. 너무나 사랑받으려고 하는데 새로운 장난감을 보면 무엇이든지 독점하려고 재빠르게 가는 너의 모습을 보고 급발진이라고 부르지. 먼저 독차지해야 속이 풀리는 욕심쟁이. 근데 그게 아기같아. 새끼를 낳았을 때도 제대로 챙긴 적도 없고. 약간 자기중심적으로 보이긴 해도 사랑받고 싶어서 그런 거니까.

소심쟁이 매력 걸 초름아,

정말 소심하고 겁 많은 우리 초름이. 진짜 바람 소리에도 움찍거릴 정도로 너를 데리고 밖에 나가면 넌 진짜 돌처럼 굳어버리지. 중성화 때 너의 모습을 보고 진짜 우리 초름이 기절하는 줄 알았지. 그래서 이사와서 그렇게 뒷다리를 질질 끌고 다니면서 먹지도 못하고 시름시름 앓았지. 그 원인이 스트레스 라는 사실에 정말 엄마는 나와 똑같은 녀석. 그리고 딸은 대학 들어가면 너를 꼭 데리고 가겠다고 항상 다짐 하지. 오묘한 털 색깔에 사실 매일 약올리기도 하는데 넌 알까? 엄마만의 애정표현이라는 것을. 집에서 태어났고 그리고 계속 함께 이면서, 다양한 모습을 보여주는 너를 너무나 사랑해.

뛰어난 재주의 소유자 모리야,

문 좀 그만 열면 안 되겠니? 사실 처음 만남 너의 모습을 진짜 눈 사이가 좁아서 마냥 웃기기만 했었지. 하지만 사랑 받지 못해 항상 기가 죽어있어서 엄마는 언니는 항상 너만 살폈었지. 함께 살면서 너는 온갖 재주를 뽐냈어. 그리고 살 도 오르고 점점 더 예뻐지는 거야. 어쩌면 너는 이미 예뻤는 데 우리가 잘 몰랐는지도 몰라. 그리고 정말 넌 문 여는데 선수잖아. 진짜 깜짝 깜짝 놀랄 정도로 온 방문을 다 여는데 이러다 현관문도 열고 나갈까봐 걱정되더라. 근데 말이야 문 을 열어도 들어가서 얌전히 있는 것을 보면 넌 우리에게 뽐 내는 거 같아. 그래, 넌 정말 뛰어난 재주를 가지고 있어. 멋 져. 그리고 사랑스러워.

렉돌의 정석인 하리야,

　지금 살이 많이 올라서 이게 털인지 살인지 헷갈릴 때도 있지만, 결론은 살인 것 같다. 아직 어린데 다리 하나가 없이 세 다리로 움직이는 너를 보면 어리광을 부릴만해 라고 생각이 들어. 그래도 아빠바라기 하는 것 보면 엄마랑 누나는 뭐니. 하지만 너를 보고 있으면 그래, 렉돌은 이렇게 생긴 거지, 성격도 그런 거지 인정하게 된단다. 아빠의 사랑을 독차지해서 다른 고양이들에게 미안해서 약간 얄미울 때도 있지만 아주 순간이란다. 너는 우리집의 소중한 고양이니까. 엥엥 소리 지르며 뛰어가면 세 다리로 다행히 균형도 잘 잡고 호기심도 많고. 너무나 다행이라고 생각해. 앞으로도 그렇게 건강하게 같이 살자꾸나. 가끔 살에 묻혀서 잘생긴 외모가 안보이기도 하지만 엄마는 아니까.

수줍음 많은 뚜리야,

  사실 너의 얼굴을 제대로 본 게 된 거 얼마 되지 않은 것 같아. 수줍음이 많다고 했는데 겁이 많은 걸지도 모른다는 생각이 들기도 해. 전문 브리더 집에서 꽉 차있는 상태로 살았으니 내향적인 너가 사랑받기 쉽지 않았을 거야. 그래서 아빠자취방에서도 넌 항상 숨어 있었지. 하지만 같이 살게 되면서 넌 고개는 항상 돌린 상태지만 몸은 늘 나에게 향하고 있지. 만져주기를 기다리면서 말이야. 수줍음이라고 할게. 걱정 하지마, 네가 수줍어해도 엄마가 적극적으로 예뻐, 예뻐 해주고 있으니까. 너의 신비한 눈망울처럼 오래 오래 신비주의 유지해도 사랑해줄게.

완벽한 애교쟁이 초리야,

사실 중성화 전까지 너는 정말 예민한 아이였지. 손도 대기 어렵고 눈도 마주보기도 힘들 정도로 빨리 숨어버렸으니까. 그런데 너무 희한하게 중성화 이후로 성격이 완전히 바뀐 거야. 원래 항상 불편한 자세로만 있었는데 정말 놀랍게도 지금은 그 어떤 냥이들보다 다양한 자세로 편안하게 묘생을 보내고 있지. 우리집에서 가장 늦게 중성화를 받은 우리 초리. 그래서 미안하더라. 같이 산지 이제 일 년 됐으니 엄마가 너에 대해서 잘 몰랐을지도 몰라. 그런데 걱정 하지마. 지금도 많이 알려고 노력하고 있고 너의 평생 묘생은 엄마랑 함께 일 테니까. 오늘도 나에게 와서 너무나 편안한 자세로 있는 우리 초리. 엄마의 쓰담쓰담에 몸을 맡기며 행복해 하는데 고맙더라. 근데 눈 주변 털이 검어서 눈동자가 잘 안보여. 그럼에도 네가 행복해 하는 걸 나는 느낄 수 있어.

듬직한 포리야,

사실 듬직하다고 했지만 아직 아기인데 미안하다. 그래도 너의 아기였을 때 생각하고, 엄마인 뚜리 생각하면 네가 이렇게 크리라고는 생각도 못했어. 하긴 남자아이이기도 하고 아빠인 하리를 생각하면 그럴 수 있다고 하지만... 그래도 태어날 때부터 널 보아온 엄마 입장에서는 놀라울 정도로 커져서 놀란다. 그리고 양포리! 넌 왜 이리 형을 좋아하니? 완전 형 바라기잖아. 문 열리기를 기다리고 형이 너 만져주면 완전 좋아하고 밖에 나와 있으면 하염없이 붙어있고 따라다니고. 엄마랑 누나가 서운해. 근데 유전자인가? 아빠인 하리가 아빠집사만 따라다니는 걸 보면. 하지만 다행이기도 해. 너 덕분에 형이 나중에 너는 꼭 데리고 가고 싶다 잖아. 너의 선택을 존중한다. 듬직 포리야. 형하고 서로 지켜줘라.

애교 철철 마리야,

정말 정말 애교가 철철 넘치는 우리 마리. 우리의 영원한 막둥이. 엄마인 초리 닮아서 더 안 클 줄 알았는데, 요즘 너의 등판?을 보면 아빠인 포리를 닮아가는 것 같기도 하고. 묘한 매력을 가지고 있는 너는, 참 애교가 철철 넘치는 아이란다. 네가 우리 가족이 된 데는 한 쪽 눈이 보이지 않아서 분양시키지 못해서 그런 거지만 분명히 엄마에겐 그건 전혀 문제되지 않는 너를 보며 다행이다 싶어. 너는 우리 가족이 될 운명이었던 거지. 사랑한다, 우리 평생 막둥이 마리. 몸이 더 커져도 엄마는 너를 영원히 사랑할 거야. 가끔 엄마의 애정이 과해서 싫다 표현할 때도 안아서 미안해.

그런데 너무나 사랑해서 그러니 이해해줘.

　고양이들은 밖으로 데리고 나가기 어렵다. 마리를 데리고 나가서도 울어서 쉽지 않았다. 실패했지만 집으로 특별히 예쁜 벚꽃들을 들고 들어왔다. 그렇게 벚꽃놀이 사진들과 마무리했다. 마리 데리고 나가서 떨어진 벚꽃 중에 제일 예쁜 것만 주워서 가져왔는데 머리에 올리고 찍기 너무나 힘들어서 나중엔 뿌려버렸는데 모두 성공하지 못했다. 아쉬워라. 그래도 벚꽃나무 아래 우리 마리는 잘 있었다. 뭐, 캐리어 밖으로는 못나왔지만 엄마가 손 넣고 쓰다듬으면 저리도 예쁘게 골골 거리는데 어찌 안 데리고 나올까. 다음에도 나갈게.

사랑받고 살고 있지?
마지막 우리 아깽이들,
모두 예쁘다 하며 분양 갔으니까.
너희들의 묘생을 항상 응원해!

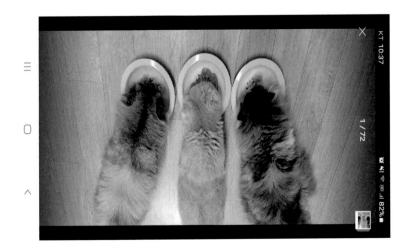

 항상 내 사진첩을 차지하는 내 고양이들.
 뭘 해도 예쁘고 사랑스럽고, 보기만 해도 행복하고, 또 한
편으로 미안하기도 하고. 뭘 더 해줄까 고민하는 나는, 나중
에 후회하지 않는 엄마집사로 남을까....? 차례대로 우리 초
름이, 슈슈, 초초. 이젠 대가족이라 만져주는 횟수가 줄어들
었지만 엄마가 너무나 사랑하고 사랑해. 항상 자랑하고 싶고
더욱 더 오래 오래 함께 하고 싶다. 요즘 하도 같이 있으니,
더욱 더 엄마의 마음을 알아주는 것 같고. 내 생각일 수도
있지만 그래, 사람보다 동물이 나을 때가 훨씬 더 많다는
걸. 그래도 엄마는 사람이니까 더 사람들과 지내야겠지. 쉽지
않지만 오늘도 너희들과 함께 앞으로 나아가볼게.

너희를 만난 건 운명이었어.